Un día en Buenos Aires
UN DÍA, UNA CIUDAD, UNA HISTORIA
ERNESTO
RODRÍGUEZ

difusi
D1293268

Colección *Un día en...*

Autor
Ernesto Rodríguez

Asesoría
Lucas Rodrigo
Coordinación editorial
Pablo Garrido
Redacción
Gema Ballesteros
Documentación
Carolina Domínguez
Corrección ortotipográfica
Carmen Aranda
Diseño y maquetación
Oriol Frias
Traducción
BCN Traducciones

ISBN: 978-84-16657-44-5

Reimpresión: octubre 2020

Impreso en la UE

C/ Trafalgar, 10, entlo. 1ª
08010 Barcelona
Tel. (+34) 93 268 03 00
Fax (+34) 93 310 33 40
editorial@difusion.com

www.difusion.com

Fotografías
Cubierta Mira Agron/Dreamstime.com; **p. 4** Tatyana Vychegzhanina/Dreamstime.com, Christopher Elwell/Dreamstime.com, Nattapan Suwansukho/Dreamstime.com, Carmenmurillo/Dreamstime.com, Aerogondo/Dreamstime.com, Arne9001/Dreamstime.com; **p. 5** Imaengine/Dreamstime.com, Parkinsonsniper/Dreamstime.com, mcswin/istockphoto.com, Ia64/Dreamstime.com, Studio Dream/Dreamstime.com, Tempura/istockphoto.com, Lunamarina/Dreamstime.com, Jedimaster/Dreamstime.com; **p. 7** David Mariuz/istockphoto.com; **p. 9** Olaf Speier/Dreamstime.com; **p. 14** Steve Mack/gettyimages.com; **p. 15** STR/gettyimages.com, Michael Putland/istockphoto.com, Juan Mabromata/gettyimages.com; **p. 16** Gabriel Quintana/Dreamstime.com, Bjørn Hovdal/Dreamstime.com, Ijansempoi/Dreamstime.com, Evgenyatamanenko/Dreamstime.com, Konstantinos Papaioannou/Dreamstime, Pablo Hidalgo/Dreamstime.com; **p. 17** Tyler Olson/Dreamstime.com, DenKuvaiev/istockphoto.com, monticelllo/istockphoto.com, Inara Prusakova/Dreamstime.com, Carmen Martínez Banús/istockphoto.com, Nyul/Dreamstime.com, Pianisssimo/Dreamstime.com, Sandra Cunningham/Dreamstime.com; **p. 18** Toniflap/Dreamstime.com; **p. 19** Casadphoto/Dreamstime.com; **p. 20** Dvalmas/Dreamstime.com; **p. 24** panptys/fotolia.com; **p. 26** Christopher Pillitz / Colaborador/gettyimages.com; **p. 27** Nelieta/Dreamstime.com, Pjhpix/Dreamstime.com, Edurivero/Dreamstime.com; **p. 28** Donald Sawvel/Dreamstime.com, Wavebreakmedia Ltd/Dreamstime.com, Kamolrat/Dreamstime.com, Panagiotis Karapanagiotis/Dreamstime.com; **p. 29** Effectteam/Dreamstime.com, kadmy/istockphoto.com, Vhcreative/Dreamstime.com, Dmitry Kalinovsky/Dreamstime.com; **p. 30** Meunierd/Dreamstime.com; **p. 33** Meunierd/Dreamstime.com; **p. 34** Pascal Rateau/fotolia.com, dietwalther/fotolia.com, sassenfeld/fotolia.com; **p. 36** Tiago_Fernandez/istockphoto.com; **p. 37** Pierre Jean Durieu/Dreamstime.com, Elxeneize/Dreamstime.com, Capa34/Dreamstime.com; **p. 38** Inge Hogenbijl/Dreamstime.com, Curaphotography/Dreamstime.com, Allihays/Dreamstime.com, King Ho Yim/Dreamstime.com; **p. 39** Dmitry Kalinovsky/Dreamstime.com, Kartos/Dreamstime.com, Pablo Scapinachis/Dreamstime.com, Piotr Antonów/Dreamstime.com, Viacheslav Krisanov/Dreamstime.com, Georgii Dolgykh/Dreamstime.com; **p. 40** Magalí Izaguirre/istockphoto.com; **p. 45** mariontxa/fotolia.com, Jacek Chabraszewski/fotolia.com, viappy/fotolia.com, expressiovisual/fotolia.com, Alex Staroseltsev/fotolia.com, Artanika/fotolia.com, Alessio Orrù/fotolia.com, BillionPhotos.com/fotolia.com, robynmac/fotolia.com; **p. 46** Marco Di Lauro/gettyimages.com; **p. 47** C_Fernandes/istockphoto.com, Bettmann/gettyimages.com, Batuque/Dreamstime.com

Un día en Buenos Aires

UN DÍA, UNA CIUDAD, UNA HISTORIA

ÍNDICE

¡Comparte tus fotos y vídeos de la ciudad!

#undiaenbuenosaires

Audios y soluciones de las actividades en
difusion.com/buenosaires.zip

Diccionario visual Capítulo 1

Caja

Fotografías

Ventanilla

Timbre

Teatro

Espejo retrovisor

Coche
Ojos
Cartas
Cabeza
Abrazo
Pelo
Puerta
Nariz

CAPÍTULO 1

Son las 12:30 h del mediodía. El vuelo de Madrid a Buenos Aires aterriza en el aeropuerto internacional de Ezeiza. Uno de sus pasajeros es Luis, un madrileño de 50 años que tiene los ojos azules, la nariz grande, cara de buena persona y ningún pelo en la cabeza. Es un hombre tímido y un poco aburrido que casi nunca sonríe. Una hora más tarde, a las 13:30 h, Luis está en un taxi que va hacia el centro de la ciudad. Está cansado después de más de doce horas de viaje, y también nervioso, muy nervioso. La razón de sus nervios es que ha viajado hasta la capital argentina para conocer a su tío Armando, la única familia que le queda. Luis ha descubierto que tiene un tío hace solo dos meses, después de la muerte[1] de su madre, Carmen.

Al otro lado de la ventanilla, Luis ve el paisaje de La Pampa. Es una inmensa llanura[2] que llega hasta el horizonte[3]. En la radio del coche suena una canción de Divididos, un grupo de *rock* argentino. Luis tiene en la mano la carta de Armando a su madre, con fecha de julio del año 1970.

Querida Carmen:

¿Qué tal estás? Supongo que recibir esta carta te va a sorprender[4].

Quiero decirte que siento mucho no haber estado en el entierro[5] *de Paco. Estoy seguro de que la muerte de mi hermano ha sido muy dura para ti y para vuestro hijo. Yo también estoy muy triste.*

Te escribo estas líneas para decirte que tienes una casa en Buenos Aires, y que tú y mi sobrino sois bienvenidos aquí.

Dales un beso a mi padre y a mi madre de mi parte, por favor. No tengo valor para escribirles yo mismo. Sé que no me han perdonado por no haber ido al entierro.

Te mando un fuerte abrazo,

Tu cuñado Armando.

Calle Godoy Cruz 277 (Barrio Palermo), a 2 de julio de 1970.

Luis no puede parar de pensar por qué su madre no le ha hablado nunca de su tío Armando.

La inmigración española

A lo largo de la historia, miles de españoles han emigrado a Argentina por diferentes razones. Actualmente, los españoles son la segunda comunidad extranjera más numerosa en Argentina (la primera es la italiana). La ciudad con el segundo mayor número de gallegos del mundo es Buenos Aires, donde la inmigración desde Galicia ha sido tan grande que a todos los inmigrantes españoles se les llama "gallegos".

—¿Se afeitó la cabeza? —dice el taxista, mirándole por el espejo retrovisor.

—¿Disculpe? —pregunta Luis.

—La cabeza, ¿se la afeitó?

Efectivamente, Luis lleva la cabeza totalmente afeitada. Hace muchos años que es calvo[6] y prefiere afeitarse la cabeza a dejarse crecer el poco pelo que tiene, pero, ¿por qué ese taxista le hace esa pregunta?

—Pues sí, me he afeitado la cabeza, ¿por qué?

—¿Es para un papel[7]?

—¿Para un papel? —pregunta Luis.

—Sí, la cabeza afeitada y ese acento gallego, ¿es para un papel?

Luis no entiende nada, pero no quiere alargar la conversación con el taxista. Por eso decide darle la razón[8].

—Sí, claro.

—Lo hace bien, el acento gallego.

Luis sabe que los argentinos llaman gallegos a todos los españoles, pero de todas formas, sonríe y dice, medio en broma:

—No soy gallego, soy de Madrid.

—Jajajajaja, ¡artistas! —ríe el taxista.

Luis no entiende nada. Decide ignorar al taxista y concentrarse en el paisaje[9], pero no puede. No puede dejar de pensar[10] en su madre. Su madre le ha dejado como herencia[11] solo tres cosas: algo de dinero, una caja llena de fotografías y esa carta misteriosa. Luis tiene ahora un montón de[12] preguntas que no puede hacerle a su madre.

Un rato después, el taxi se detiene en la dirección que Luis le ha dado al taxista, la misma dirección que aparece en la carta de su tío Armando. Está en el barrio de Palermo, una zona residencial en el norte de la ciudad.

Luis paga el viaje, sale del vehículo y llama al timbre.

—¿Quién es? – la voz que se oye es de una mujer.

—Hola, ¿está Armando?

—¿Armando?

—Armando Pérez.

—... ¿Quién es?

—Me llamo Luis, soy familiar de Armando Pérez.

—¡Luis! ¡Cuánto tiempo! —dice la voz de la mujer. —Subí, subí.

La puerta del edificio se abre. Luis no entiende nada de lo que está ocurriendo. ¿Quién es esa mujer? ¿Por qué lo conoce? ¿Es la mujer de su tío Armando? Entra en el edificio y sube hasta la segunda planta. Una mujer mayor, de unos 75 años, está esperando en el rellano[13], enfrente de una puerta.

—¡Qué alegría verte! ¡Hace mil años que no sé nada de vos! —dice la mujer.

Luis no entiende nada. Todo lo que le ha ocurrido desde que ha llegado a Buenos Aires es extraño. Él responde:

—Hola, soy Luis.

—Ya sé quién sos. ¿Y ese acento? ¿Y tu pelo? Luis, corazón[14], ¿qué pasa?[15] Te veo muy mal.

¿Otra vez esas preguntas? ¿Qué les pasa a los argentinos con el pelo de Luis? ¿Qué tiene de raro su acento? Luis empieza a sentirse muy incómodo.

—Mi acento es de Madrid y soy calvo, ¿vale? —responde él.

—¿Es para un papel?

—¿Un papel? ¿Qué papel? ¡No!

—Ah...

—¿Usted quién es? ¿Está Armando?

—Bueno, querido, ya podés parar con la bromita... —dice la mujer.

—¿Qué bromita? ¡No! No he venido desde Madrid para gastarle una broma[16] a una señora que no conozco. Mire, me llamo Luis y soy de Madrid, y he venido a Buenos Aires a conocer a mi tío Armando, ¿está o no está?

—¿Seguro que no es una broma...?

—¡Pues claro que no!

—¿Sos Luis o no sos Luis?

—Sí, joder. Soy Luis. Luis Pérez, el sobrino de Armando Pérez.

—¡Un sobrino de Armando! No me lo puedo creer.

—¿Y quién es usted?

—Soy Matilde, una vieja amiga de Armando.

—¿Y dónde está mi tío?

—En el cielo, querido. Hace unos años que Armando está en el cielo[17].

Súbitamente, Luis ya no se siente cansado ni se siente nervioso, sino que se siente derrotado[18]. Tantas horas de viaje, tantas ilusiones para nada. Sin padre desde muy pequeño, desde hace poco sin madre y ahora, finalmente, sin ese tío que no ha conocido nunca. Ya no le queda familia. Está solo.

—Vaya... pues gracias —dice, finalmente, Luis—. Adiós.

—Esperá, esperá —dice Matilde. Se acerca a Luis y le toca la cara.

—¿Qué hace?

—Sos idéntico a Luis...

—Es que soy Luis.

—Luis siempre hace boludeces como disfrazarse[19] y fingir[20] ser otro, pero vos no sos Luis. Vos no estás fingiendo.

—¡Sí, sí que soy Luis y no, no estoy fingiendo!

—Hablo del hijo de Armando.

—¿El hijo de Armando?

—Sí, querido. Se parece mucho a vos... ¿No sabés que tenés un primo?

—¡No! —Luis sonríe—. ¿Y dónde lo puedo encontrar?

—Hace mucho tiempo que no sé de él. Pero seguro que lo podés encontrar en algún teatro. Tu primo es un actor muy famoso en esta ciudad. Una estrella[21] del teatro.

ACTIVIDADES
CAPÍTULO 1

Esta es la carta de respuesta de la madre de Luis a su cuñado Armando. Las palabras de cada frase están desordenadas. Ordénalas y responde a las preguntas.

| Armando: | Mi | querido |

| tus palabras de apoyo | Gracias por |

| si vamos a poder | y por ofrecernos tu casa, | ir algún día. | pero no sé |

| están | contigo. | Tus padres | enfadados |

| para no estar aquí. | excusa | no tienes ninguna | Dicen que |

| Paco ya no está | o no. | En mi opinión, | si tú vienes | y no importa | a decirle adiós |

----

los muertos. | La vida | no para | es para los vivos,

---

un fuerte | Recibe | abrazo.

Carmen
Calle Hierbabuena 34, (Madrid), a 2 de agosto de 1964.

1. ¿Carmen acepta la oferta de Armando?

---

2. ¿Por qué están los padres de Armando enfadados con él?

---

3. En tu opinión, ¿está Carmen enfadada con Armando?

2

Completa la siguiente información sobre las relaciones familiares de Luis.

marido | hijo | sobrino | hermano | cuñada | primos

El Luis español es______________de Carmen, y el Luis argentino es el ______________ de Carmen.
Carmen es la______________de Armando, que es el______________ de Paco.
Paco es el______________de Carmen.
El Luis español y el Luis argentino son______________.

El rock nacional

TODO UN GÉNERO MUSICAL

Argentina es el primer país no anglosajón que desarrolla un sonido propio de *rock and roll*. El concepto de "*rock* nacional" nace en la década de 1960, cuando se empieza a mezclar el característico sonido *rock and roll* con el de las músicas autóctonas argentinas

APUNTES CULTURALES

El "*rock* nacional" se canta en español y las letras de sus canciones hablan de los problemas y de los temas que preocupan a los argentinos. Algunos de los nombres más importantes del *rock* nacional argentino son: Los Gatos, Fito Páez, Enanitos Verdes, La Renga, Sumo, Pappo's Blues, Patricio Rey y Sus Redonditos de Ricota, Los Fabulosos Cadillacs, Luis Alberto Spinetta, Soda Stereo o Charly García (pág. izda.).

Los Gatos: con esta banda empieza el "*rock* nacional". Son los primeros que escriben sus propios temas en castellano, en lugar de "castellanizar" canciones anglosajonas, como se ha hecho hasta entonces.

Luis Alberto Spinetta: cantante, guitarrista, poeta, escritor y compositor en bandas como Almendra, Pescado Rabioso o Spinetta Jade. Algunas de sus canciones están entre las mejores de la historia del *rock* nacional.

Soda Stereo: es la primera banda de *rock* en español famosa en todo el continente suramericano. Su sonido va desde el *new wave* y el *post punk* de sus comienzos hasta la influencia de la música electrónica y el *rock* progresivo.

Diccionario visual Capítulo 2

Copa

Metro/Subte

Reloj

Espejo

Librería

Boca de metro/Subte

Boletería/Taquilla

Escenario

Corazón

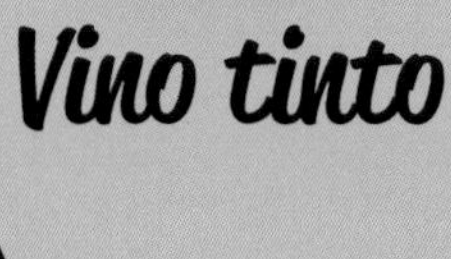

Vino tinto

Mate

Aplauso

Saludar

Escalera

CAPÍTULO 2

Son las 14:45 h. Luis ha viajado en metro (en Buenos Aires se llama "subte") desde la estación de Palermo, muy cerca de la casa de su tío Armando, hasta la estación de Uruguay. Ha llegado a la famosa avenida Corrientes: la avenida de los teatros, las pizzerías más populares de la ciudad y las grandes librerías.

En este momento exacto, Luis se detiene delante de un cartel[1] que está junto a la boca de metro y que anuncia una obra de teatro. En el cartel aparece una chica rubia y un hombre que se parece mucho a él, pero con pelo en la cabeza. Cuando Luis ve el cartel piensa: "Ese hombre es mi primo". Es como verse a sí mismo en un espejo, pero un poco más guapo y con pelo: es una versión mejor de él mismo. La obra de teatro se llama *La familia argentina*, de Alberto Ure.

—Tiene que ser una broma —dice Luis—. Todo esto parece una broma pesada.

La siguiente función[2] es a las siete de la tarde en la Sala Solidaridad del Centro Cultural de la Cooperación, que está en la misma avenida Corrientes. Luis no sabe en qué dirección tiene que ir. Por eso le pregunta a un señor que en ese momento se cruza[3] con él.

—Disculpe, ¿para llegar a este teatro hacia dónde tengo que ir? —Luis señala el cartel que anuncia la obra.

—Estamos al 1400 de Corrientes, esto es en el 1545. Camine una cuadra[4] en aquella dirección. Por allá.

Luis mira en la dirección que le señala el señor. Detrás de ellos está el gran Obelisco, el icono de la ciudad. Luis mira el reloj y piensa que tiene mucho tiempo. Tiene hambre y está nervioso, necesita comer algo.

—¿Me recomienda algún sitio para comer?

—A ver, dónde comer... Déjeme pensar ... ¿Le gusta la pizza?

El Obelisco

Está en el cruce de la avenida Corrientes con la avenida 9 de julio, las dos grandes avenidas de la capital argentina. Es, literalmente, el corazón de la ciudad. Allí ondeó por primera vez la bandera argentina en Buenos Aires, en 1812.

—Sí, claro.

—Por acá hay pizzerías que son rebuenas. Tenés Güerrín, que tiene la mejor pizza al molde[5], y Los Inmortales, que hace la mejor pizza a la piedra[6]. ¡Es una rivalidad histórica! —ríe el señor.

Las pizzerías que le recomienda el señor están en el microcentro, a pocas manzanas[7] del teatro en el que se representa *La familia argentina*. Allí, Luis disfruta de una deliciosa pizza y una copa de vino tinto. A su alrededor, todas las mesas están ocupadas por más de una persona: parejas, grupos de amigos, familias. Él está acostumbrado a comer solo. Está acostumbrado[8] a sentirse solo.

A las cinco y media de la tarde, Luis sale del restaurante. Todavía tiene tiempo antes de ir al teatro. Está nervioso. Para calmar los nervios y para matar el rato[9], decide dar un paseo por la zona.

Caminando sin dirección definida, pasa por la plaza del General Lavalle y luego por la plaza de la Libertad. En su camino, Luis puede ver que los porteños[10] viven a otra velocidad. Todos hablan rápido, andan rápido, hacen las cosas rápido. Parece que todos llegan tarde a algún lado. Luis, en cambio, es un hombre tranquilo, lento. Camina por la avenida 9 de julio hasta volver, otra vez, a su cruce con la avenida Corrientes, en el gran Obelisco. Ha sido casi una hora de paseo y ahora sus pasos[11] son más lentos que nunca. Los nervios lo paralizan. Ha llegado la hora de ir al teatro. Luis respira profundamente. Sonríe.

En ese mismo momento, a las seis y media de la tarde, su primo Luis, el argentino, llega al teatro. Tiene 43 años, los ojos azules, la nariz grande, cara de buena persona y el pelo castaño, liso y un poco largo. Es un hombre atractivo que siempre sonríe.

Luis saluda a Inés, la chica de la taquilla, que está resolviendo un sudoku y tomando un mate.

—¡Hoy estás maravillosa, Inesita! —grita Luis.

—¡Llegás tarde! ¡El director te está esperando!

—¿Y qué va a hacerme? ¿Arrancarme[12] los pelos?

—Te va a arrancar los pelos y te va a dejar calvo, vas a ver.

Luis, el actor, se ríe. Inés, la taquillera, también.

—¡Nos vemos luego, Inesita!

—Cuidate esa melena[13], querido —dice ella, siguiendo la broma de Luis.

Luis entra en la sala e Inés vuelve a su sudoku. Esta tarde no tiene demasiado trabajo.

Media hora después, Luis, el gallego, llega al Centro Cultural de la Cooperación. Su corazón va a mil por hora. Se acerca hasta la taquilla (aquí se llama "boletería") y encuentra a una chica resolviendo un sudoku.

—Perdón, ¿hay entradas para la sesión de las siete?

Inés levanta la mirada y ve a Luis, el calvo español. Suelta una gran carcajada[14].

—¡De verdad, Luis, cómo te gusta hacer boludeces[15]!

Cuando la función termina, las luces se encienden y Luis puede ver que la sala está medio vacía, aunque él, que es un hombre optimista, prefiere decir que está medio llena. Él y sus compañeros de reparto saludan una, dos, tres veces. Agradecen los aplausos del público con una sonrisa. Cuando vuelve al camerino, Inés, la chica de la taquilla, lo está esperando. Tiene una expresión extraña en su cara.

—¿Qué te pasa, Inesita? —pregunta Luis.

—Hay alguien que ha venido a verte.

—¿Quién?

—Está en la sala. Te está esperando.

Luis vuelve al escenario. La sala está vacía. Todo el público ha salido del teatro, menos una persona. Es un hombre que está en el pasillo central, de pie. Desde el escenario, Luis no puede ver bien el aspecto de ese hombre. Baja las escaleras del escenario y camina hacia él. Cuando los dos están a solo unos metros, Luis, el argentino, contempla la cara del otro. Tiene sus mismos ojos. Tiene su misma nariz. Aunque no tiene pelo, sí tiene su misma cara, aunque un poco más triste. Es como verse a sí mismo interpretando un personaje[16] algo más viejo y más triste.

—¿Y vos quién sos? —pregunta el argentino.

—Soy Luis —responde el español—. Tu primo Luis.

—No... no puede ser...

—Sí. Soy tu... familia española.

—No...

—Sí. Es un placer conocerte.

—Dejate de joder[17] —dice Luis.

Luis sonríe. El otro Luis, claro, también sonríe.

Y allí, en el medio del teatro, los dos Luises se dan un fuerte abrazo.

ACTIVIDADES
CAPÍTULO 2

Este es el cartel de la obra de teatro de Luis. Léelo y responde a las preguntas.

1. ¿A qué hora y dónde se puede ver la obra de Luis?

---

2. ¿Cómo se llaman los actores de la compañía Trampantojo?

---

3. ¿Cuánto hay que pagar para ver la obra?

Esta es la primera conversación que Luis tiene con su primo Luis. Complétala con los siguientes verbos en la forma adecuada.

querer | llegar | aterrizar | tener | ser | poder | trabajar ver | decir | venir | parecerse

-¿Cuándo (tú)______________?

-Mi avión______________a las 11:30 h de esta mañana.

-(Yo) No______________creerlo. ¡(Tú)______________igual que yo! ¡(Nosotros)______________mucho el uno al otro!

-Sí, pero yo no______________tanto pelo como tú.

-¿Quién te______________que yo______________en este teatro?

-(Yo) Lo ______________un cartel en la calle.

-¿Por qué (tú)______________a Buenos Aires?

-Porque______________conocer a mi familia.

La avenida Corrientes

PURO TEATRO

Es una de las principales avenidas de la ciudad y el centro de su vida teatral. En esta avenida hay muchos teatros y las obras que se representan aquí explican una parte de la historia cultural bonaerense. Buenos Aires es la capital con más obras de teatro del mundo.

APUNTES CULTURALES

En la avenida Corrientes, por ejemplo, se ha visto la primera obra de la historia del teatro rioplatense: la adaptación al teatro de la novela *Juan Moreira*. En esta larga avenida se pueden encontrar toda clase de espectáculos, librerías y pizzerías abiertas a cualquier hora del día y de la noche.

Hay más de veinte salas de teatro a lo largo de la avenida. Algunas de ellas son de las más importantes del panorama nacional, como por ejemplo el teatro Gran Rex, el Teatro Ópera o El Nacional.

No hay que olvidar tampoco las salas de teatro alternativo o *underground*, dedicadas al teatro experimental, y que son una cantera de jóvenes creadores dentro del panorama teatral.

La oferta teatral es muy variada. En la avenida Corrientes puedes ver musicales de Disney, espectáculos de revista, adaptaciones de clásicos como Shakespeare, monologuistas cómicos y un sinfín de propuestas.

Diccionario visual Capítulo 3

Panadero/-a

Banco

Cielo

Estatua

Color violeta

Luna

Albañil

Camarero/-a

Sol

CAPÍTULO 3

Con las luces de la tarde, la Casa Rosada parece de color más anaranjado[1]. Luis, el español, está sentado en un banco de la Plaza de Mayo junto a su primo Luis, el argentino, delante de la estatua de Manuel Belgrano. En menos de una hora va a llegar la noche. El español señala[2] la Casa Rosada y pregunta:

—¿Aquí vive el presidente?

—No. Aquí trabaja. Bueno... ¿algún presidente trabaja?

Los dos se ríen. Luis, el actor, continúa:

—Aunque, ¿qué es trabajar? Trabajar es sudar[3]. Se puede decir que yo tampoco trabajo. Los actores no trabajamos, solo representamos. ¿Vos qué hacés?

—Soy albañil.

—¡Ah, entonces vos sí que trabajás!

—Y tú también. Yo no puedo memorizar un texto y tú sí. Y estoy seguro[4] de que tampoco puedo gobernar un país.

—Cualquiera puede gobernar un país —dice el argentino.

—¿Y el trabajo de Armando?

—¿Mi papá? Panadero, ¿y tu papá?

—Camarero, en el restaurante de nuestros abuelos.

—Papá me dijo que era uno de los mejores restaurantes de Madrid.

Luis, el español, se siente incómodo[5]. No sabe qué decir. No sabe por qué ahora es la primera[6] vez en su vida que habla con su primo[7], ni por qué esa parte de su familia ha sido un secreto para él. Parece que su primo conoce más esa historia que él mismo.

—¿Sabes por qué tu padre vino a Argentina?

—Por una mina.

—¿Una mina?

—Una mujer.

—¿Por tu madre?

—No. Por otra. Por una mina que le rompió el corazón[8]. Luego conoció a mi mamá.

—¿Cuándo murió?

—Hace cinco años. Y mi mamá hace siete —dice Luis.

—Mi madre ha muerto este año. Ni ella ni mis abuelos me han hablado nunca de ti. No entiendo por qué. He sabido de la existencia de tu padre por una carta que he encontrado hace poco —responde el otro.

—Mi papá tampoco me contó mucho de ustedes. Solo que tenía un primo, pero no me dijo nunca tu nombre. Quizás no lo supo jamás[9].

—Quizás por eso tenemos el mismo nombre... ¿Tú por qué te llamas Luis? —pregunta el español.

—Una decisión de mi madre. Es el nombre de mi abuelo materno[10]. ¿Y vos? ¿Por qué te llamás Luis?

Luis, el español, se ríe.

—Es el nombre favorito de mi madre.

—O sea, que nuestros nombres son una elección de nuestras madres.

—Eso parece. Pero los dos nos parecemos a nuestro abuelo paterno[11]. He visto fotos de él y somos como dos gotas de agua[12].

—No. Somos como tres gotas de agua —dice el actor.

—¡Exacto! —responde el albañil—. Aunque unos con más pelo que otros.

Los dos se ríen otra vez. Unos instantes después, el actor pregunta:

—¿Conocés Buenos Aires?

—No. Es la primera vez que estoy aquí. Es mi primer día, de hecho[13].

El argentino se levanta y dice.

—Vení, che. Vamos a dar un paseo.

Son casi las ocho de la noche. En el cielo, de color violeta, ya no está el sol. La luna ya ha salido. Los dos primos pasean por la calle Perú y llegan a la Manzana de las Luces. Luis, el argentino, dice:

—Este es uno de los lugares con más historia de la ciudad.

—¿Y cuál es su historia? —pregunta el español.

El argentino mira a su primo, y luego mira la fachada[14] del museo que hay allí.

—No sé. Solo sé que tiene historia.

El actor argentino se ríe. El español dice:

—Madrid también tiene mucha historia que yo no conozco.

—Y nuestra familia también tiene mucha historia que no conocemos, ¿no creés?

—Exacto —sonríe el albañil.

—¿Vos tenés familia? —pregunta el actor.

Luis mira a los ojos a Luis. Luego responde:

—No, ¿y tú?

—Sí. Tengo una esposa[15] y dos hijos[16], ¿querés conocerlos?

—Sí, ¡claro! —responde el español.

—Macanudo[17], che[18]. Vamos entonces a San Telmo.

ACTIVIDADES
CAPÍTULO 3

1

Luis no conoce muy bien la historia de su ciudad. ¿Puedes relacionar sus explicaciones con los lugares de los que habla?

a. Esta torre antes se llamaba la Torre de los Ingleses, pero no sé por qué.

b. Aquí no sé si vive o si trabaja el presidente de Argentina.

c. Es alguien importante, creo. Sale en los billetes de 10 pesos.

2

Estas son las profesiones que aparecen en la historia. Relaciona sus nombres y definiciones. Hay dos profesiones sin definición, escríbelas con tus propias palabras.

PROFESIÓN	DEFINICIÓN
albañil ●	● Persona que interpreta personajes de ficción.
panadero/-a ●	● Persona que vende entradas en una taquilla.
camarero/-a ●	● ....
actor / actriz ●	● Persona que trabaja en la construcción de edificios.
taquillero/-a ●	● ....
taxista ●	● Persona que sirve copas y platos en bares o restaurantes.

La Plaza de Mayo

LUGAR DE ENCUENTRO

Es la más antigua de Buenos Aires. Su nombre es un homenaje a la Revolución del 25 de Mayo de 1810: la revolución que inicia el camino para conseguir la independencia del país.

APUNTES CULTURALES

Actualmente, cuando no hay manifestaciones, en esta plaza se ven ejecutivos o funcionarios que trabajan en la zona (siempre con prisa), turistas (siempre con sus cámaras de fotos), grupos escolares que visitan con sus profesores alguno de los edificios históricos, personas tumbadas en el césped tomando el sol, vendedores de banderas, jubilados y palomas.

Algunos de los monumentos históricos de la plaza son la catedral Metropolitana, la Casa de Gobierno (conocida como la Casa Rosada) y la Pirámide de Mayo.

Otro de los edificios históricos de la plaza es El Cabildo. Hoy es la sede del Museo Histórico Nacional del Cabildo y de la Revolución de Mayo, donde se exhiben cuadros, retratos, piezas y joyas del siglo XVIII.

Cada jueves, se reúnen en esta plaza las Madres de la Plaza de Mayo, una asociación en defensa de los derechos humanos. Esta asociación lucha por recuperar con vida a los desaparecidos de la dictadura militar.

Diccionario visual Capítulo 4

Rubio/-a

Terraza

Tango

Beso

Mozo

Birra / Cerveza

Mesa

Sánguche / Bocadillo

Celular/ Teléfono móvil

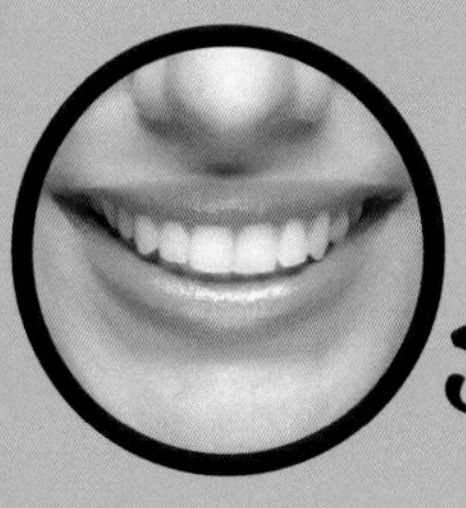

Sonrisa

CAPÍTULO 4

El paseo[1] de los dos primos termina en el corazón del barrio de San Telmo: la plaza Dorrego, un pequeño rincón[2] de la ciudad lleno de personas en terrazas de bares y restaurantes. Allí, se sientan en una de las pocas mesas libres que hay.

—¡Mozo! —El actor argentino llama al camarero.

—¿Qué van a querer? —pregunta el camarero.

—Un sánguche de pollo y una birra, por favor —responde el actor.

—Muy bien, ¿y vos?

Luis, el español, mira a su primo.

—¿Qué has pedido?

—Un... ¿cómo lo llaman en España?... Mmm...

—Al sánguche en España lo llaman bocadillo —explica el camarero.

—Pues otro sánguche y otra birra, por favor —dice el español.

—Ahora mismo[3] —dice el camarero.

Ya solos, el español le pregunta al argentino:

—¿Cuándo voy a conocer a tu familia?

—Envié un mensaje[4] por el celular a mi mujer. Llegan en unos minutos.

—¿Y por qué estás soltero[5], primo? —pregunta el actor.

—Porque soy un hombre demasiado[6] tímido[7] y un poco triste.

—Vos tenés que aprender a bailar[8]. Bailando, todo el mundo puede conocer a alguien. Mirá, a menudo la gente viene acá, a bailar tango en esta plaza. Es como una tradición. Acá yo conocí a Carol, mi mujer[9], bailando tango.

—Pero yo no sé bailar tango.

—Pero podés aprender[10]. Además, en Argentina las minas son muy simpáticas[11]. Y a muchas de ellas les encanta el acento español.

—En España, el acento argentino tiene mucho éxito[12].

—Supongo que siempre queremos lo que no tenemos, ¿no? —dice el actor.

En ese momento, su teléfono móvil suena. Luis coge la llamada[13].

—¿Sí? Carol, estamos en la terraza del Café Dorrego... Nos vemos.

Luis cuelga el teléfono[14]. Su primo español pregunta.

—¿Es tu mujer?

—Sí. Ella y los chicos ya están por acá.

Luis, el español, se pregunta cómo es el aspecto[15] de la mujer y los hijos de su primo. Las decisiones que el actor argentino ha tomado en su vida le han llevado a tener una vida que al albañil español le parece idílica. Él, que siempre hace lo que se supone que tiene que hacer: buscar un trabajo serio para ganar dinero, como siempre le ha recomendado su difunta[16] madre. ¿Para qué ha servido? ¿Y si otra vida es posible?

El camarero llega con los bocadillos y las cervezas.

—Aquí tienen los sánguches.

—¡Gracias, che! —sonríe Luis, el argentino.

El Luis español mira a su primo argentino, observa con atención su sonrisa. Piensa que esa sonrisa no se parece a su sonrisa porque él no sabe cómo es su propia sonrisa. Hace mucho tiempo que no ve una fotografía con su sonrisa.

El Luis argentino es un espejo mejorado del Luis español. El actor no es solo protagonista[17] de obras de teatro, también es protagonista de su propia vida. Por otro lado, el español tiene la desagradable sensación de no ser el protagonista de su propia vida, de no saber todos los secretos que le rodean. Mamá, ¿por qué no me has hablado de mi tío? ¿Por qué te has llevado este secreto a la tumba?

—¡Luis! —la voz[18] de una mujer se oye. El actor se levanta y busca con la mirada[19]. Una mujer rubia con dos niños se acerca hasta él. Se dan un beso. Luis, el español, piensa que su primo argentino, además de pelo, tiene muchas más cosas que él quiere y no tiene: una familia, un trabajo interesante, una vida feliz, una sonrisa en la cara.

—Este es mi primo Luis —le dice el actor a su mujer.

—Siempre con las bromitas, Luis —dice Carol.

—No es broma —dice el español—. Yo también me llamo Luis.

—Te parecés[20] mucho al boludo[21] de mi marido —dice Carol.

—Sí, pero con menos pelo y... más aburrido —responde el

albañil. Luego se dirige a los niños. —Hola, chicos. Yo soy...

—Es su tío, chicos —dice el actor—. Luis, ellos son Martín y Horacio. Tienen 4 y 6 años.

—Encantado de conoceros —dice el Luis español.

—¿Vos sos nuestro tío de verdad[22]? —pregunta uno de los niños.

El Luis argentino responde a sus hijos.

—Sí, Martín. Es nuestra familia española.

El Luis español sonríe, feliz. Su primo le mira y dice:

—Y nosotros somos su familia argentina.

FIN

ACTIVIDADES CAPÍTULO 4

1

Aunque tienen la misma cara, los primos no tienen el mismo carácter. Relaciona cada adjetivo con uno de los primos.

Luis español	ADJETIVOS	Luis argentino
	optimista pesimista alegre espontáneo relajado triste aventurero melancólico sensible divertido aburrido vergonzoso guapo carismático	

2

Por fin, Luis, el español, se decide a pedirle bailar a una chica que hay en la plaza Dorrego. Ordena la conversación.

Luis	Chica
☐ - ¡Hola!	☐ - ¡Ah!, ¿sí?
☐ - No, soy español.	☐ - No sos de acá, ¿cierto?
☐ - ¿Quieres bailar conmigo?	☐ - Carolina, ¿y vos?
☐ - Luis.	☐ - ¡Hola!
☐ -¿Cómo te llamas?	☐ -¡Claro!

3

Marca (X) los platos o bebidas que han aparecido en la historia.

4

Escribe una breve descripción de uno de los platos o de las bebidas anteriores.

El tango

MÁS QUE UN BAILE

Es un estilo musical y de danza característico de la zona del Río de la Plata (Argentina y Uruguay), y es mundialmente conocido por ser uno de los bailes más sensuales.

APUNTES CULTURALES

El tango tiene su origen en distintas tradiciones musicales, como la habanera cubana, el tango flamenco, la milonga o la polka. Nace, primero, como danza, a mediados del siglo XIX, y más tarde, a finales del mismo siglo XIX, como estilo musical.

Normalmente, los tangos son canciones tristes de amor escritas en castellano. El tango se baila siempre en pareja. Los bailarines realizan figuras, pausas y movimientos improvisados sin soltarse.

El nombre más importante de la historia del tango es Carlos Gardel. Algunas de sus canciones más famosas son *Por una cabeza*, *Caminito*, *El día que me quieras* o *Mi Buenos Aires querido*.

Uno de los instrumentos más típicos para tocar el tango es el bandoneón, una variedad de acordeón de forma hexagonal. Su origen es alemán, pero parece que llegó al Río de la Plata de la mano de marineros e inmigrantes.

CAPÍTULO 1

CASTELLANO	INGLÉS	FRANCÉS	ALEMÁN	NEERLANDÉS
1. Muerte	Death	Mort	Tod	Dood
2. Llanura	Plain	Plaine	Flachland	Vlakte
3. Horizonte	Horizon	Horizon	Horizont	Horizon
4. Sorprender	Surprise	Surprendre	überraschen	Verrassen
5. Entierro	Funeral	Enterrement	Beerdigung	Begrafenis
6. Calvo/-a	Bald	Chauve	glatzköpfig	Kaal
7. Papel	Role	Rôle	Rolle	Rol
8. Dar la razón	To go along with (him/her)	Donner raison	recht geben	Gelijk geven
9. Paisaje	Scenery	Paysage	Landschaft	Landschap
10. Dejar de + [infinitivo]	Stop + [gerund]	Arrêter de + [infinitif]	aufhören zu + [Infinitiv]	Het niet kunnen laten om [infinitief]
11. Herencia	Inheritance	Héritage	Erbschaft	Erfenis
12. Un montón de + [sustantivo]	Tons of + [noun]	Un tas de + [substantif]	eine Menge + [Substantiv]	Een hoop + (zelfstandig naamwoord)
13. Rellano	Landing	Palier	Treppenabsatz	De overloop
14. Corazón	Dear	Chéri/-e	Liebling	Lieverd
15. ¿Qué pasa?	What's going on?	Que se passe-t-il ?	Was ist los?	Wat is er aan de hand?
16. Gastar una broma	Play a joke (on)	Faire une farce	sich einen Scherz erlauben	Een grap uithalen
17. Estar en el cielo	To be in heaven	Être au ciel	im Himmel sein	In de hemel zijn
18. Derrotado/-a	Defeated	Abattu/-e	am Boden zerstört	Verslagen
19. Disfrazarse	Dress up (as)	Se déguiser	sich verkleiden	Zich verkleden
20. Fingir	Pretend	Faire semblant	so tun, als ob	Veinzen
21. Ser una estrella	Be a star	Être une vedette	ein Star sein	Een ster zijn

CAPÍTULO 2

CASTELLANO	INGLÉS	FRANCÉS	ALEMÁN	NEERLANDÉS
1. Cartel	Sign	Affiche	Plakat	Affiche
2. Función	Show	Représentation	Vorstellung	Voorstelling
3. Cruzarse	Run into	Croiser	über den Weg laufen	Elkaar tegenkomen
4. Cuadra	Block	Pâté de maisons	Häuserblock	Huizenblok
5. Pizza al molde	Argentine pizza	Pizza sur plaque	Pizza vom Blech	Broodpizza
6. Pizza a la piedra	Thin-crust pizza	Pizza à la pierre	Steinofenpizza	Pizza uit de steenoven
7. Manzana	Block	Pâté de maison	Häuserblock	Huizenblok
8. Estar acostumbrado/-a	To be used to + [gerund]	Être habitué/-e	an etwas gewöhnt sein	Gewend zijn
9. Matar el rato	Kill some time	Tuer le temps	Zeit totschlagen	De tijd doden
10. Porteño/-a	People of Buenos Aires	Habitants de Buenos Aires	Einwohner von Buenos Aires	Inwoners van Buenos Aires
11. Paso	Footsteps	Pas	Schritt	Stap
12. Arrancar	Pull someone's (hair out)	Arracher	herausreißen	Uittrekken
13. Melena	Hair	Chevelure	Mähne	Haardos
14. Carcajada	Guffaw	Éclat de rire	Gelächter	Schaterlach
15. Boludez	Silly thing	Bêtise	Blödsinn	Stommiteit
16. Interpretar un personaje	Play a character	Interpréter un personnage	eine Figur darstellen	Een personage uitbeelden
17. Dejate de joder	Quit pulling my leg	C'est pas vrai !	Hör auf mit dem Quatsch!	Houd op met dat geouwehoer

CAPÍTULO 3

CASTELLANO	INGLÉS	FRANCÉS	ALEMÁN	NEERLANDÉS
1. Anaranjado/-a	Orangey	Orangé/-e	orangefarben	Oranjeachtig
2. Señalar	Point to	Montrer du doigt	zeigen	Aanwijzen
3. Sudar	Sweat	Suer	schwitzen	Zweten
4. Estar seguro/-a	I'm sure	Être sûr/-e	sich sicher sein	Zeker weten
5. Incómodo/-a	Uncomfortable	Mal à l'aise	unbehaglich	Ongemakkelijk
6. Primero/-a	First	Premier/-ère	erste	Eerste
7. Primo/-a	Cousin	Cousin/-e	Cousin/-e	Neef/nicht
8. Romper el corazón	Break (someone's) heart	Briser le cœur	das Herz brechen	Het hart breken
9. Jamás	Never	Jamais	niemals	Nooit
10. Abuelo materno	Maternal grandfather	Grand-père maternel	Großvater mütterlicherseits	Opa van moederskant
11. Abuelo paterno	Paternal grandfather	Grand-père paternel	Großvater väterlicherseits	Opa van vaderskant
12. Ser como dos gotas de agua	To be like two peas in a pod	Se ressembler comme deux gouttes d'eau	sich wie ein Ei dem anderen ähneln	Als twee druppels water op elkaar lijken
13. De hecho	In fact	En fait	tatsächlich	Eigenlijk, feitelijk
14. Fachada	Facade	Façade	Fassade	Gevel
15. Esposo/-a	Husband / wife	Époux/-ouse	Ehemann / Ehefrau	Echtgeno(o)t(e)
16. Hijos	Children	Enfants	Kinder	Kinderen
17. Macanudo	Great	Génial	prima	Geweldig
18. Che	Hey	Eh !	hey	Zeg, hé

CAPÍTULO 4

CASTELLANO	INGLÉS	FRANCÉS	ALEMÁN	NEERLANDÉS
1. Paseo	Stroll	Promenade	Spaziergang	Wandeling
2. Rincón	Corner	Coin	Fleckchen	Hoek
3. Ahora mismo	Right now	Tout de suite	sofort	Nu meteen
4. Enviar un mensaje	Send a message	Envoyer un message	eine Nachricht senden	Een bericht versturen
5. Soltero/-a	Single	Célibataire	ledig	Vrijgezel/-lin
6. Demasiado	Too	Trop	zu	Te
7. Tímido	Shy	Timide	schüchtern	Verlegen
8. Bailar	Dance	Danser	tanzen	Dansen
9. Mi mujer	My wife	Ma femme	meine Frau	Mijn vrouw
10. Aprender	Learn	Apprendre	lernen	Leren
11. Simpático/-a	Friendly	Sympathique	sympathisch	Aardig
12. Tener éxito	To be successful	Avoir du succès	Erfolg haben	Succes hebben
13. Coger una llamada	Take a call	Décrocher	einen Anruf annehmen	De telefoon opnemen
14. Colgar el teléfono	Hang up the telephone	Raccrocher	auflegen	De telefoon ophangen
15. Aspecto	Appearance	Aspect	Aussehen	Uiterlijk
16. Difunto/-a	Dead	Décédé/-e	verstorben	Overleden
17. Protagonista	Star	Protagoniste	Hauptdarsteller	Hoofdrolspeler
18. Voz	Voice	Voix	Stimme	Stem
19. Buscar con la mirada	Look around	Chercher du regard	sich suchend umschauen	Met zijn ogen zoeken
20. Parecerse	Look a lot like	Ressembler	ähnlich sehen	Op elkaar lijken
21. Boludo/-a	Moron	Couillon/-ne	Blödmann	Lul/trut
22. De verdad	Really	Vraiment	wirklich	Echt

El *rock* nacional TODO UN GÉNERO MUSICAL

p. 14-15

National rock A WHOLE GENRE OF MUSIC

Argentina is the first non-English-speaking country to develop its own rock and roll sound. The concept of "national rock" comes from the decade of the 60's, when people started to mix the rock and roll sound with traditional types of Argentine music.

National rock is sung in Spanish and the lyrics talk about the problems and concerns of the Argentine people. Some of the most important names in Argentine national rock are: Los Gatos, Fito Páez, Enanitos Verdes, La Renga, Sumo, Pappo's Blues, Patricio Rey y Sus Redonditos de Ricota, Los Fabulosos Cadillacs, Luis Alberto Spinetta, Soda Stereo or Charly García (left page).
Los Gatos: National rock started with this band. They were the first ones to write their own songs in Spanish, instead of making English-language songs more Spanish, as had been done until then.
Luis Alberto Spinetta: singer, guitarist, poet, writer, and composer for bands like Almendra, Pescado Rabioso, or Spinetta Jade. Some of his songs are among the best in the history of National rock.
Soda Stereo: this was the first famous Spanish-language rock band in South America Its sound ranges from its early new-wave and post-punk sound to the influence of electronic music and progressive rock.

Le rock national UN GENRE MUSICAL À PART

L'Argentine est le premier pays non anglo-saxon à avoir développé son propre son de *rock and roll*. La notion de « rock national » naît dans la décennie des années 60, quand le son caractéristique du rock and roll commence à être mélangé à celui des musiques autochtones argentines.
Le « rock national » est chanté en espagnol et les paroles des chansons parlent des problèmes et des thèmes qui préoccupent les Argentins. Certains des noms les plus importants du rock national sont : Los Gatos, Fito Páez, Enanitos Verdes, La Renga, Sumo, Pappo's Blues, Patricio Rey y Sus Redonditos de Ricota, Los Fabulosos Cadillacs, Luis Alberto Spinetta, Soda Stereo ou Charly García (page gauche).
Los Gatos : le « rock national » commence avec ce groupe. Ce sont les premiers à écrire leurs propres chansons en espagnol, au lieu d'espagnoliser des chansons anglo-saxonnes comme cela se faisait jusqu'alors.
Luis Alberto Spinetta : chanteur, guitariste, poète, écrivain et compositeur de groupes comme Almendra, Pescado Rabioso ou Spinetta Jade. Certaines de ses chansons se trouvent parmi les meilleures de l'histoire du rock national.
Soda Estereo : c'est le premier groupe de rock en espagnol célèbre sur tout le continent sud-américain. Son son va de la *new wave* et le *post punk* de leurs débuts à l'influence de la musique électronique et du rock progressif.

Der Rock Nacional
EIN BESONDERES MUSIKGENRE

Argentinien ist das erste nichtangelsächsische Land, das seinen eigenen *Rock-'n'-Roll*-Sound entwickelt hat. Der Begriff *Rock Nacional* (nationale Rockmusik) entstand in den 1960er-Jahren, als der charakteristische Sound des *Rock 'n' Roll* mit der einheimischen argentinischen Musik vermischt wurde.

Der Rock Nacional wird auf Spanisch gesungen, wobei die Liedtexte von Problemen und Anliegen handeln, die den Argentiniern am Herzen liegen. Einige der namhaftesten Figuren der argentinischen Rockmusik sind: Los Gatos, Fito Páez, Enanitos Verdes, La Renga, Sumo, Pappo's Blues, Patricio Rey y Sus Redonditos de Ricota, Los Fabulosos Cadillacs, Luis Alberto Spinetta, Soda Stereo und Charly García (Seite links).

Los Gatos: Mit dieser Band begann der *Rock Nacional*. Sie war die erste Band, die ihre eigenen Themen auf Spanisch schrieb, anstatt englische Lieder ins Spanische zu übertragen, wie es bis dahin allgemein üblich gewesen war.

Luis Alberto Spinetta: Sänger, Gitarrist, Dichter, Schriftsteller und Komponist bei Bands wie Almendra, Pescado Rabioso oder Spinetta Jade. Einige seiner Lieder zählen zu den besten Songs der Geschichte der argentinischen Rockmusik.

Soda Estereo: Dies war die erste Spanisch singende Rockband, die auf dem gesamten südamerikanischen Kontinent berühmt wurde. Ihr Sound reichte von den Anfängen des *New Wave* und *Post-Punk* bis hin zu Einflüssen der elektronischen Musik und des Progressive *Rock*.

De Rock nacional
EEN MUZIEKGENRE OP ZICH

Argentinië is het eerste niet-Engelstalige land met een eigen *rock-'n-rollbeweging*. Het begrip rock nacional is ontstaan in de jaren 60, toen het karakteristieke *rock-'n-rollgeluid* werd gecombineerd met de inheemse Argentijnse muziek.

Rock nacional wordt in het Spaans gezongen en de teksten van de liedjes gaan over de problemen en onderwerpen waarover de Argentijnen zich zorgen maken. Sommige van de belangrijkste namen van de Argentijnse rock zijn: Los Gatos, Fito Páez, Enanitos Verdes, La Renga, Sumo, Pappo's Blues, Patricio Rey y Sus Redonditos de Ricota, Los Fabulosos Cadillacs, Luis Alberto Spinetta, Soda Stereo of Charly García (blz. links).

Los Gatos: de *rock nacional* is met deze band begonnen. Het was de eerste groep die zijn eigen liedjes in het Spaans schreef, in plaats van Engelstalige thema's te 'verspaansen', wat tot die tijd gebeurde.

Luis Alberto Spinetta: zanger, gitarist, dichter, schrijver en componist van bands zoals Almendra, Pescado Rabioso of Spinetta Jade. Sommige van zijn liedjes bevinden zich onder de beste van de geschiedenis van de Argentijnse *rock*.

Soda Estereo: dit is de eerste Spaanstalige, in heel Zuid-Amerika beroemde *rockband*. De muziek van deze band gaat van *new wave* en *postpunk* tijdens de beginjaren tot aan de invloed van de elektronische muziek en de progressieve *rock*.

La avenida Corrientes PURO TEATRO

p. 26-27

Avenida Corrientes PURE THEATRE

This is one of the city's main thoroughfares, and its main theatre district. On this street there are a lot of theatres, and the works performed here tell a part of the cultural history of Buenos Aires. Buenos Aires is the capital with the greatest number of plays performed in the world.

For example, the first play from Rio de la Plata in history was performed on Avenida Corrientes: The novel *Juan Moreira* adapted for the theatre. On this long avenue, all sorts of shows, book shops, and pizza shops can be found open at all hours of the day and night.

There are over twenty theatres located up and down the avenue. Some of them are the most important national theatres, such as the Gran Rex, Teatro Ópera, or El Nacional.

And let's not forget the alternative or underground theatres, dedicated to experimental theatre, a breeding ground for promising new creators on the theatre scene.

There are a wide variety of types of theatre available. On Avenida Corrientes, you can see Disney musicals, revues, adaptations of classics like Shakespeare, comic monologues, and an endless range of styles.

L'avenue Corrientes THÉÂTRE À L'ÉTAT PUR

C'est l'une des avenues principales de la ville et le cœur de sa vie théâtrale. Sur cette avenue, il y a de nombreux théâtres et les pièces qui y sont représentées expliquent une partie de l'histoire culturelle de Buenos Aires. Buenos Aires est la capitale où sont représentées le plus de pièces de théâtre au monde.

Par exemple, c'est sur l'avenue Corrientes qu'a été vue la première pièce de l'histoire du théâtre de Rio de la Plata : l'adaptation au théâtre du roman *Juan Moreira*. Sur cette longue avenue, nous pouvons trouver toutes sortes de spectacles, librairies et pizzerias ouvertes à toute heure du jour et de la nuit.

Il y a plus de vingt salles de théâtre tout le long de l'avenue. Certaines sont des plus importantes de la scène nationale, comme le théâtre Gran Rex, le Teatro Ópera ou El Nacional.

Il ne faut pas oublier non plus les salles de théâtre alternatif ou *underground*, consacrées au théâtre expérimental, et qui sont une poche de jeunes créateurs au sein de la scène théâtrale.

L'offre théâtrale est très variée. Sur l'avenue Corrientes, vous pouvez voir des spectacles musicaux de Disney, des revues, des adaptations de classiques comme Shakespeare, des humoristes et une infinité d'autres propositions.

Die Avenida Corrientes
THEATER PUR

Eine der Hauptstraßen der Stadt und Mittelpunkt ihres Theaterlebens. Auf dieser *Avenida* gibt es zahlreiche Theater, und die Stücke, die dort aufgeführt werden, schildern einen Teil der Kulturgeschichte von Buenos Aires. Buenos Aires ist die Hauptstadt mit den meisten Theaterstücken der Welt.

Auf der Avenida Corrientes zum Beispiel wurde das erste Stück in der Theatergeschichte der Region um den Río de la Plata aufgeführt: die Theaterfassung des Romans *Juan Moreira*. Auf dieser langen *Avenida* findet man alle Arten von Vergnügungsstätten, Buchhandlungen oder Pizzerien vor, die zu jeder Tages- und Nachtzeit geöffnet haben.

Auf der *Avenida* befinden sich mehr als zwanzig Schauspielhäuser. Einige davon gehören zu den landesweit bedeutendsten Theatern wie z. B. das Gran Rex, das Teatro Ópera oder El Nacional.
Nicht zu vergessen sind hier auch die Alternativ- oder Undergroundbühnen, die sich dem experimentellen Theater widmen und einen Pool von jungen Nachwuchskünstlern in der Theaterszene bilden.
Das Theaterangebot ist sehr vielseitig. Auf der *Avenida* Corrientes kann man sich Disney-Musicals, Revuevorstellungen, Adaptionen von Klassikern wie Shakespeare, Stand-up-Comedians und eine Vielzahl anderer Veranstaltungen anschauen.

De Avenida Corrientes
PUUR THEATER

Dit is een van de belangrijkste straten van de stad en het centrum van het theaterleven. Langs deze laan staan talrijke theaters en de voorstellingen die er worden opgevoerd ontvouwen een deel van de culturele geschiedenis van Buenos Aires. Buenos Aires is de hoofdstad met de meeste theatervoorstellingen ter wereld.

In de Avenida Corrientes werd bijvoorbeeld het eerste toneelstuk van de theatergeschiedenis van de streek Río de la Plata opgevoerd: de toneelbewerking van de roman *Juan Moreira*. Langs deze lange straat zijn allerlei voorstellingen te zien en boekenwinkels en pizzeria's te vinden die elk uur van de dag geopend zijn.

Er zijn meer dan twintig theaterzalen langs de Avenida. Sommige daarvan zijn de belangrijkste op nationaal niveau, zoals bijvoorbeeld het theater Gran Rex, het Teatro Ópera of El Nacional.

Daarnaast zijn er natuurlijk ook de alternatieve of *underground* theaterzalen die zijn gewijd aan het experimentele theater en binnen de toneelwereld een bakermat voor jong talent zijn.

Het theateraanbod is zeer gevarieerd. In de Avenida Corrientes kun je Disney musicals, revuevoorstellingen, bewerkingen van klassiekers zoals Shakespeare, cabaretiers en oneindig veel andere uitvoeringen zien.

La Plaza de Mayo LUGAR DE ENCUENTRO

p. 36-37

Plaza de Mayo A MEETING PLACE

This is the oldest square in Buenos Aires. Its name is an homage to the revolution of 25th May, 1810: The revolution that was the start of the country's road to independence.

Nowadays, when there aren't demonstrations, you might see executives or civil servants who work nearby (always rushing to and fro), tourists (always with their cameras), school groups visiting historical buildings with their teachers, and people lying on the grass soaking up the sunshine, other people selling flags, retired people, and pigeons.

Some of the historical monuments on the square are the Catedral Metropolitana, Casa de Gobierno (known as the Casa Rosada), and Pirámide de Mayo.

Another of the historical buildings on the square is El Cabildo. Today it is the headquarters of the Museo Histórico Nacional del Cabildo y de la Revolución de Mayo, where 18th-century paintings, portraits, pieces, and jewels are on display.

Every Thursday, Las Madres de la Plaza de Mayo, a human-rights organisation, meets in this square. This organisation fights for those who disappeared under the military dictatorship.

La Plaza de Mayo LIEU DE RENCONTRE

C'est la plus ancienne de Buenos Aires. Son nom rend hommage à la Révolution du 25 mai 1810 : la révolution qui commence le chemin vers l'indépendance du pays.

Actuellement, quand il n'y a pas de manifestations, nous pouvons voir sur cette place des cadres supérieurs ou des fonctionnaires qui travaillent dans la zone (toujours pressés), des touristes (toujours avec leurs appareils photographiques), des groupes d'écoliers qui visitent certains des édifices historiques avec leurs professeurs, des personnes allongées sur la pelouse pour prendre le soleil, des vendeurs de drapeaux, des retraités et des pigeons.

Certains des monuments historiques de la place sont la cathédrale Metropolitana, la Casa de Gobierno (connue comme la Casa Rosada) et la Pirámide de Mayo.

Un autre édifice historique de la place est El Cabildo. Il est aujourd'hui le siège du Musée Historique National del Cabildo y de la Revolución de Mayo qui expose des tableaux, des portraits, des pièces et des bijoux du XVIIIe siècle.

Tous les jeudis, les Madres de la Plaza de Mayo, une association pour la défense des droits de l'Homme, se réunissent sur cette place. Cette association lutte pour récupérer en vie les personnes disparues sous la dictature militaire.

Die Plaza de Mayo
TREFFPUNKT

Dies ist der älteste öffentliche Platz in Buenos Aires. Sein Name – Platz der Mairevolution – gedenkt der Revolution vom 25. Mai 1810, die dem Land den Weg zur Unabhängigkeit von Spanien ebnete.

Heutzutage – sofern auf dem Platz gerade keine Demonstrationen stattfinden – trifft man dort auf Manager oder Beamte, die in der Gegend arbeiten und stets in Eile sind, Touristen, die stets ihre Kameras dabeihaben, Schulklassen, die mit ihren Lehrern eines der historischen Gebäude besichtigen, Menschen, die auf dem Rasen liegen und die Sonne genießen, Fahnenverkäufer, Rentner und Tauben.

Zu den historischen Baudenkmälern, die sich rund um den Platz befinden, gehören die Kathedrale Catedral Metropolitana, der Präsidentenpalast Casa de Gobierno (auch bekannt als Casa Rosada) und die Maipyramide Pirámide de Mayo.

Ein weiteres der historischen Gebäude am Platz ist der ehemalige Regierungssitz El Cabildo. Heute ist dort das Nationale Geschichtsmuseum des Cabildo und der Mairevolution untergebracht, wo Gemälde, Porträts sowie Stücke und Juwelen aus dem 18. Jahrhundert ausgestellt werden.

Jeden Donnerstag versammeln sich auf diesem Platz die Madres de la Plaza de Mayo, eine Vereinigung zur Verteidigung der Menschenrechte. Diese Vereinigung kämpft darum, dass die während der Militärdiktatur verschwundenen Menschen (Desaparecidos) lebend zurückkommen.

De Plaza de Mayo
ONTMOETINGSPLAATS

Dit is het oudste plein van Buenos Aires. De naam is een eerbetoon aan de Revolutie van 25 mei 1810: de revolutie waarmee de weg naar de onafhankelijkheid van het land werd aangevangen.

Tegenwoordig, als er geen demonstraties zijn, ziet men op dit plein directeurs of ambtenaren die in de buurt werken (en altijd haast hebben), toeristen (altijd vergezeld van hun fototoestellen), groepen scholieren die met hun leraren een van de historische gebouwen bezoeken, mensen die op het gras in de zon liggen, vlaggenverkopers, gepensioneerden en duiven.

Onder de historische monumenten die rondom het plein staan bevinden zich de Metropolitana Kathedraal, het regeringsgebouw (bekend als Casa Rosada) en de Piramide de Mayo.

Een ander historisch gebouw op dit plein is El Cabildo. Vandaag de dag is er het Nationaal Historisch Museum van El Cabildo en van de Mei-revolutie gevestigd. Er worden schilderijen, portretten, voorwerpen en sieraden uit de 18e eeuw tentoongesteld.

Elke donderdag komen op het Plaza de Mayo de Dwaze Moeders, een vereniging die de rechten van de mens verdedigt, bijeen. Deze groepering strijdt ervoor tijdens de militaire dictatuur verdwenen personen terug te vinden.

El tango
MÁS QUE UN BAILE

p. 46-47

Tango
MORE THAN A DANCE

This is a style of music and dance that is typical of the Río de la Plata area of Argentina and Uruguay, known everywhere as one of the most sensual dances in the world.

Tango has its origin in various musical traditions, such as Cuban *Habaneras*, *Flamenco Tango*, the *Milonga*, or the *Polka*. It was created, as a dance, in the middle of the 19th century, and later as a musical style, at the end of the 19th century.

Normally, tangos are sad love songs written in Spanish. The tango is always danced by couples. The dancers make figures, pause, and improvise without letting go of each other.

The most important name in the history of tango is Carlos Gardel. Some of his most famous songs are *Por una Cabeza, Caminito, El Día que me Quieras*, or *Mi Buenos Aires Querido.*

One of the most typical instruments for playing the tango is the *bandoneón*, a type of hexagonal accordion. Its origin is German, but it seems to have reached the Río de la Plata area by way of sailors and immigrants.

Le Tango
BIEN PLUS QU'UNE DANSE

C'est un style musical et de danse caractéristique de la zone de Río de la Plata (Argentine et Uruguay), mondialement connu comme l'une des danses les plus sensuelles.

Le tango prend ses origines dans différentes traditions musicales, comme la habanera cubaine, le *tango flamenco*, la *milonga* ou la *polka*. Il naît tout d'abord comme une danse, au milieu du XIXe siècle, puis devient plus tard un style musical à la fin de ce même siècle.

Les tangos sont normalement des chansons d'amour tristes écrites en espagnol. Le tango est toujours dansé en couple. Les danseurs exécutent des figures, des pauses et des mouvements improvisés sans se lâcher l'un l'autre.

Le nom le plus important de l'histoire du tango est Carlos Gardel. Certaines de ses chansons les plus célèbres sont *Por una cabeza, Caminito, El día que me quieras* ou *Mi Buenos Aires querido*.

Un des instruments les plus typiques pour jouer le tango est le *bandonéon*, un type d'accordéon en forme d'hexagone. D'origine allemande, il est apparemment arrivé à Río de la Plata de la main des marins et des immigrés.

Der Tango

MEHR ALS EIN TANZ

Ein für die Gegend um den Río de la Plata (Argentinien und Uruguay) typischer Musik- und Tanzstil, der weltweit bekannt ist, da es sich um einen der sinnlichsten Tänze der Welt handelt.

Der Tango findet seinen Ursprung in unterschiedlichen Musiktraditionen wie z. B. der kubanischen *Habanera*, dem *Flamenco*, der *Milonga* oder der *Polka*. Er entstand Mitte des 19. Jahrhunderts zunächst als Tanz und später, Ende desselben Jahrhunderts, auch als Musikstil.

Normalerweise sind Tangos traurige Liebeslieder, die in spanischer Sprache geschrieben sind. Der Tango wird stets als Paartanz getanzt. Die Tänzer vollführen improvisierte Tanzfiguren, Pausen und Bewegungen, ohne sich voneinander zu lösen.

Der wichtigste Name in der Geschichte des Tangos ist Carlos Gardel. Zu seinen berühmtesten Lieder zählen *Por una cabeza, Caminito, El día que me quieras* und *Mi Buenos Aires querido*.

Eines der typischen Musikinstrumente des Tangos ist das Bandoneon, eine sechseckig geformte Variante des Akkordeons. Es stammt ursprünglich aus Deutschland, gelangte aber vermutlich durch Seeleute und Einwanderer in die Gegend des Río de la Plata.

De tango

MEER DAN EEN DANS ALLEEN

Het is een muziek- en dansstijl die karakteristiek is voor de streek Río de la Plata (Argentinië en Uruguay) en is wereldwijd bekend als een van de meest sensuele dansen die er zijn.

De tango heeft zijn oorsprong in verschillende muzikale tradities, zoals de Cubaanse habanera, de *flamenco* tango, de *milonga* of de *polka*. Halverwege de 19e eeuw ontstond het aanvankelijk als dans en later, aan het eind van de 19e eeuw, als muziekstijl.

Gewoonlijk zijn tango's droevige liefdesliedjes geschreven in het Spaans. De tango wordt altijd in paren gedanst. De dansers maken passen, pauzes en geïmproviseerde bewegingen zonder elkaar los te laten.

De belangrijkste naam in de geschiedenis van de tango is Carlos Gardel. Sommige van zijn beroemdste liedjes zijn *Por una cabeza, Caminito, El día que me quieras* of *Mi Buenos Aires querido*.

Een van de meest typische instrumenten om tangomuziek te maken is het *bandoneon*, een soort zeshoekige accordeon. Oorspronkelijk komt het instrument uit Duitsland, maar het bereikte Río de la Plata waarschijnlijk via zeelieden en immigranten.

¡Comparte tus fotos y vídeos de la ciudad!

#undiaenbuenosaires

Audios y soluciones de las actividades en
difusion.com/buenosaires.zip

¿Quieres leer más?

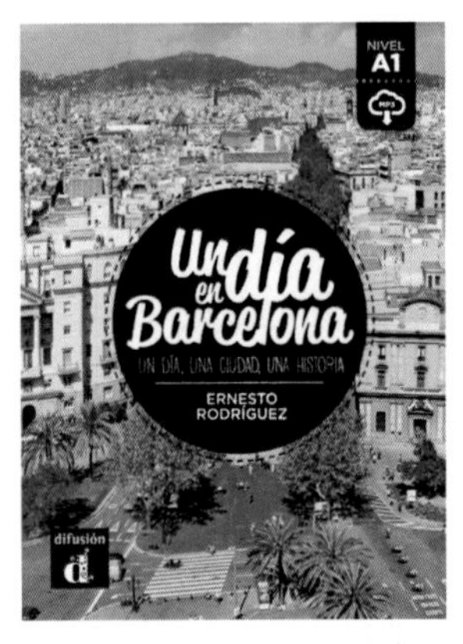

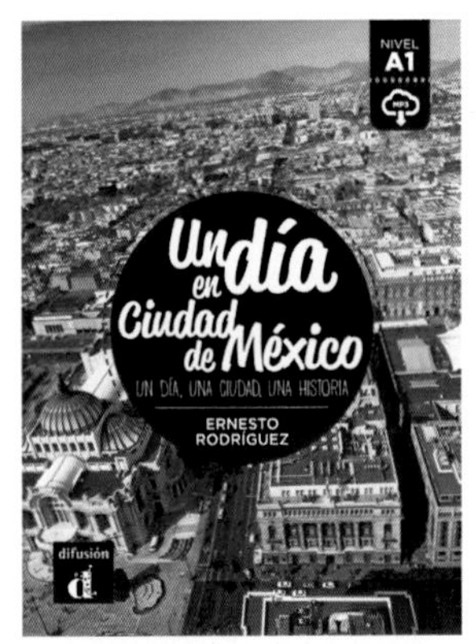

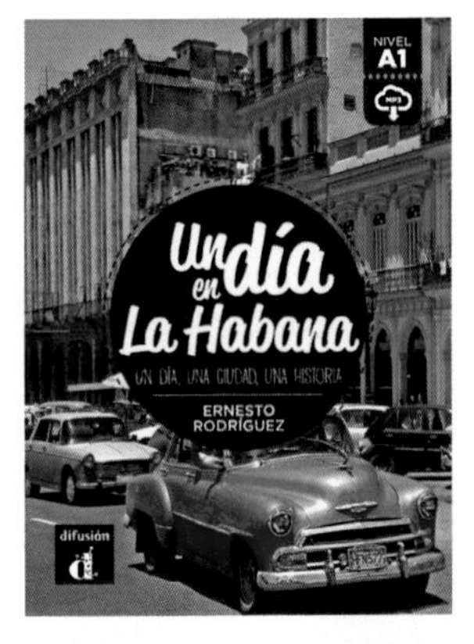